小猪唏哩呼噜的宝贝

孙 鱼/著

天津出版传媒集团

新蕾出版社

图书在版编目(CIP)数据

　　小猪唏哩呼噜的宝贝 / 孙鱼著. -- 天津：新蕾出
版社, 2019.5
　　(小猪唏哩呼噜游戏故事)
　　ISBN 978-7-5307-6845-7

　　Ⅰ.①小… Ⅱ.①孙… Ⅲ.①儿童故事–作品集–中
国–当代 Ⅳ.①I287.5

　　中国版本图书馆 CIP 数据核字(2019)第 072684 号

书　　　名:小猪唏哩呼噜的宝贝　XIAOZHU XILIHULU DE BAOBEI
　　　　　　天津出版传媒集团
出版发行:
　　　　　　新蕾出版社
　　　　　http://www.newbuds.com.cn
地　　　址:天津市和平区西康路 35 号(300051)
出 版 人:马玉秀
电　　　话:总编办 (022)23332422
　　　　　　发行部 (022)23332679　23332677
传　　　真:(022)23332422
经　　　销:全国新华书店
印　　　刷:北京尚唐印刷包装有限公司
开　　　本:787mm×1092mm　1/16
字　　　数:46 千字
印　　　张:7
印　　　数:1–30 000
版　　　次:2019 年 5 月第 1 版　2019 年 5 月第 1 次印刷
定　　　价:25.00 元

大家好!

我是你们的好朋友唏哩呼噜。我生活在一个温暖的家庭里,爸爸、妈妈和十一个猪姐姐都很爱我,我也很爱他们。

你问我什么是爱?呃,其实我也说不清楚。大概就是……就是我一想到他们,心里就会暖暖的,好像怀里抱着一个热乎乎的大红薯! 还有,我总想为他们做点儿什么,就算我自己吃点儿苦、受点儿累,也总想为他们做点儿什么。哈,这是不是有点儿奇怪呀?

爱,也许本来就有点儿奇怪吧。

还有我的好朋友们,我们常常一起认认真真地做一些"有点儿奇怪"的事。那都是我们以为"对"或者"理所应当"的事,但有时候其他人不这么看。

这个世界的确有点儿奇怪,有时候好像每一天都是新的,有时候又好像每一天都差不多……

我想说什么来着?

对了,我想说的是:

我希望和他们——爸爸、妈妈、姐姐们,还有我的好朋友们,永远在一起。我是说真的。

所以,我的故事又开始了——

小·猪
成长手册

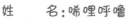

姓　　名：唏哩呼噜

原　　名：小十二

　　　　（因为是猪太太的第十二个猪宝宝）

出生年月：1995 年 3 月

性　　别：男

年　　龄：永远的 6 岁

名字由来：因为吃饭的声音而得名

爱　　好：吃吃喝喝

　　　　（绿豆汤、西瓜、银耳汤、烤年糕……

　　　　好吃的一切都爱）

好　朋　友：小蛇花花、小猴子皮皮、小鹿叮铃

小·猪大冒险

别看唏哩呼噜年龄不大，冒险经历可不少呢！

嘿哈！智斗大狼，战胜月牙熊，保护小狼。

哼哧！给鸭太太当保镖，独自一人赶夜路送鸭蛋。

嘘！胆大心细，帮鸡太太捉"鬼"。

哎哟！给象博士当保姆，受了一肚子气，却还坚持完成任务。

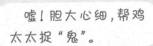

天哪！被狐狸欺骗，吃了不少苦，只为了给妈妈买生日礼物……

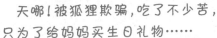

但他凭借善良、正直、执着的性格，一次次获得成功，得到大家的喜爱。

这一次，他又会有哪些新的冒险经历呢？

目　录

小猪唏哩呼噜和宝贝展览

1.唏哩呼噜遇到了小猴子皮皮

雨从昨天傍晚开始下,一直到清晨才完全停了,天空仍然有大朵大朵的黑云,好像脏孩子的脸蛋儿。

小猪唏哩呼噜躺在床上想:下雨以后,蘑菇们就会钻出来了,最好能约上小蛇花花一起去采。

他找到花花的时候,花花正戴着一顶崭

1

新的草帽，盘在一块湿漉漉的白色石头上，那下面是他的家。

"我可能要感冒，草帽这会儿凉得像鱼鳞。"花花发愁地说。唏哩呼噜要帮他摘下来，他却尖叫着不让。这是奶奶送给花花的新帽子，上面还绑着一圈蓝色的绸带呢。

吉祥镇的北方横着一条大河，因为河床很浅，水漫成很多条溪流，弯弯曲曲的，遍布原野。阳光偶尔穿过云层，把溪流照得金光四射。

花花一路提醒唏哩呼噜小心走，因为有些溪流的水比大河还深，它们的边缘经常是像朱砂一样的红泥,非常松软。

河边大树的伞盖下新长出许多蘑菇,个个气色不凡。它们有的甚至长离了地面,像是在说:"我其实会飞,但你别想看到。"

在一处灌木丛,他们新发现了一个大蘑菇群,那里像撒了一地的白石子儿。他们就叫灌木丛"蘑菇亭"。他们寻找时尽量不远离大路,因为原野很广阔,他们又很小,如果光顾着低头寻找蘑菇,也许会迷路。

将近中午,天晴了大半,唏哩呼噜坐在一棵大树下休息,那里恰巧有一块没有蘑菇的空地;花花爬上了树,缠在唏哩呼噜头顶的

yì gēn shù zhī shang　tā de
一根树枝上。他的

cǎo mào wán quán gān le　zhè
草帽完全干了，这

shí hou dài zhe hěn shū fu
时候戴着很舒服。

xī li hū lū dǎ kāi zhuāng
唏哩呼噜打开装

mó gu de bù dài zi　xiàng
蘑菇的布袋子，向

huā hua zhǎn shì jǐ gè hǎn jiàn
花花展示几个罕见

de pǐn zhǒng　píng jià nǎ ge
的品种，评价哪个

xiāng qì zuì nóng　nà xiē mó
香气最浓。那些蘑

gu zhēn shì yòu piào liang yòu
菇真是又漂亮又

dú tè　tā men yǒu de xiàng
独特，它们有的像

yòng huǒ kǎo guo de nǎi yóu
用火烤过的奶油

bīng jī líng　bái sè de sǎn
冰激凌，白色的伞

盖上闪着金色的光环；有的伸着一条长

长的独腿，像是要趁着没人的时候跳起来溜

走；还有的呢，是一层托着一层，层层叠叠

生长出来的，就像海底的珊瑚丛。

这时，他们发现大路上有两个小黑点在

快速移动。唏哩呼噜挥了挥手，那两个小黑

点慢下来，停在了路边。

"好像是小猴子皮皮和小狐狸丁丁。哇，

皮皮又换了一辆新自行车。"花花说。

"我以前不知道你的眼神这么好，花花。你

怎么看得这么清楚？"唏哩呼噜惊叹道。

"我猜是因为这顶新草帽。"花花说。

　　　　　zhōng wǔ le　　 wǒ men yě gāi huí qù le　　　 xī li hū lū
　　"中午了，我们也该回去了。"嘻哩呼噜

　zhāo hu huā huā pán dào zì jǐ de tóu dǐng shang　rán hòu bēi qǐ bù dài
招呼花花盘到自己的头顶上，然后背起布袋

　zi xiàng pí pi tā men zǒu qù
子向皮皮他们走去。

　　　dào le gēn qián　dà jiā hù xiāng dǎ le zhāo hu
　　到了跟前，大家互相打了招呼。

　　dīng ding zhòu qǐ méi tóu　　　xī li hū lū　kàn kàn nǐ de shǒu
　　丁丁皱起眉头："嘻哩呼噜，看看你的手

和脚。你都多大了，还天天在地上抓泥巴玩？有时你们真像蘑菇那么无聊。"

"我知道。"唏哩呼噜承认。这会儿收获满满，金色阳光普照大地，他的心情格外好。

"你们干什么去？"花花漫不经心地问道，眼睛没有离开那辆亮晶晶的蓝色自行车。

皮皮的表情不像平常，居然带着点儿一丝不苟的意思："最近我对历史比较感兴趣，你们有没有研究过？"

唏哩呼噜和花花一齐摇头。对历史，他们只知道是在说过去。

皮皮说："昨天爸爸带我去城里的博物

馆参观，那里面全是宝贝！你们知道虎符吗？如果你有一个，就可以调动全天下的兵马。还有翡翠大屏风，一个大屏风就能把整个吉祥镇买下来。"

"现在我正准备带丁丁去我家看我在博物馆拍的照片呢。你们也可以一起去，不过我不知道妈妈准备的点心够不够吃。"

皮皮话音还没落，丁丁抢着说："我中午可没吃饭，我一个人能吃八块点心！"

花花用尾巴尖儿敲了敲头上的草帽，说："博物馆有什么了不起的，不就是有宝贝吗？谁还没有一两件宝贝呀？"

对此，唏哩呼噜表示十分赞同。他其实已经开始想象当袋子里的蘑菇被穿成串挂在院子里时，妈妈脸上高兴的表情了。

于是，唏哩呼噜和花花不失礼貌地说了句"谢谢，再见"，就和他们告别了。

2. 有想法的唏哩呼噜

huā hua gēn zhe xī li hū lū yì qǐ huí le jiā
花花跟着唏哩呼噜一起回了家。

xī li hū lū jiā de yuàn zi bú dà dōng xi kě bù shǎo huā
唏哩呼噜家的院子不大，东西可不少。花

hua yí xià zi jiù pá shàng le yì kǒu jiàng yóu sè de dà shuǐ gāng zhè
花一下子就爬上了一口酱油色的大水缸。这

kǒu gāng dào kòu zài yuàn zi yì jiǎo nián líng bǐ xī li hū lū yào dà
口缸倒扣在院子一角，年龄比唏哩呼噜要大

xǔ duō
许多。

hǎo liáng kuai zhè suàn shì nǐ jiā de bǎo bèi le ba huā hua
"好凉快！这算是你家的宝贝了吧？"花花

hā hā dà xiào
哈哈大笑。

zài dà shuǐ gāng hé yuàn qiáng de kòng xì qī qī bā bā de chā
在大水缸和院墙的空隙，七七八八地插

zhe jǐ gēn cháng zhú gān dōu shì lǎo zhū yé ye dāng nián zì zhì de diào
着几根长竹竿，都是老猪爷爷当年自制的钓

yú gān liǎng gè bàn jiù de mù tou fēng xiāng bèi luò zài xiǎo yuàn de lìng
鱼竿，两个半旧的木头蜂箱被撂在小院的另

yì tóur huā
一头儿。花

huā pá xià dà shuǐ
花爬下大水

gāng fēi cháng
缸，非常

hào qí de kàn zhe
好奇地看着

fēng xiāng xià miàn
蜂箱下面

bàn yuán xíng de
半圆形的

xiǎo mén nǐ
小门："你

men jiā de bǎo bèi zhēn bù shǎo tā xiǎng zǐ xì kàn kàn kě shì yòu
们家的宝贝真不少。"他想仔细看看，可是又

dān xīn yǒu mì fēng xī li hū lū shuō zhè shì bà ba de péng you
担心有蜜蜂。唏哩呼噜说："这是爸爸的朋友

sòng gěi tā de cóng lái dōu méi yǒu mì fēng zuān jìn qù guo lián yì
送给他的，从来都没有蜜蜂钻进去过，连一

zhī cāng ying dōu méi yǒu
只苍蝇都没有。"

huā hua shuō nǐ yīng gāi yǎng jǐ zhī xiǎo mì fēng kàn tā men
花花说："你应该养几只小蜜蜂，看它们

从 小 门 进 进 出 出 ，多 好 玩 儿 。"唏 哩 呼 噜 马

上 说："哎 呀，还 是 算 了。要 是 蜜 蜂 长 到 水

杯 那 么 大，到 时 候 会 很 麻 烦。爸 爸 的 朋 友 就 是

睡 午 觉 的 时 候 被 大 蜜 蜂 蜇 到 了。"

花 花 喊 道："蜜 蜂 根 本 不 可 能 长 那 么 大。"

唏 哩 呼 噜 说："绝 对 是 真 的。后 来 他 发 现

窗 户 开 着，而 且 就 有 一 个 水 杯 那 么 大 的 缝。"

花 花 歪 着 头 想 了 想，说："故 事 离 谱 儿，

不 清 不 楚 的。可 我 还 是 相 信 真 的 有 大 蜜 蜂，

唏 哩 呼 噜。"

唏 哩 呼 噜 打 开 院 子 里 水 池 的 水 龙 头，他

们 把 身 上 脏 兮 兮 的 地 方 冲 洗 得 干 干 净 净。

花花爬到蜂箱上拼命摇头，总算甩干了他的新草帽。接下来，他看着唏哩呼噜用一根大针和一些麻线把蘑菇一个个穿起来，一共穿了三串，都晾在门旁的墙上了，每一串都比唏哩呼噜还要高。

他们正要数一数究竟采了多少个蘑菇，丁丁突然出现在院门前："嘿，你们还在瞎忙活啥？"

丁丁说他去皮皮家看了照片，果然了不得，很长知识。"我这回什么都知道了，原来好多宝贝都是从土里发现的。你们也应该朝地底下挖一挖，在土里找一找，没准儿就发

大财了。"

花花笑着问:"挖什么?蚯蚓?"

丁丁看上去很认真:"宝贝要靠挖。"

唏哩呼噜想不通一件事:"宝贝是挖出来的?在田里挖到红薯,那是因为种下去了。你没种下宝贝,怎么会挖出来?"

"你不信哪,那随便喽!"丁丁假装叹了口气,挺开心地走了。

看着丁丁的火红背影消失在路的拐角,花花问:"唏哩呼噜,要是让你挑一件自己的宝贝放到博物馆里去,你会选什么?"

"我两手空空啊,什么都拿不出来。换了

16

你呢？花花，我猜你肯定舍不得拿你的新帽子。"

"帽子我当然舍不得，可是我最宝贝的还不是这顶帽子。唏哩呼噜，我有一个愿望从没对你说过，我太爱它了，唉，简直救不回来了。"

唏哩呼噜吓了一跳："花花，那到底是什么愿望啊？"

"我羡慕百脚的蜈蚣，你知道为什么吗？因为我没有腿和脚。哼，不知怎么搞的，连一条腿、一只脚都没有。"

"可是你有没有发现，你不用脚行动也很

快呀。"

"我觉得多几只脚在冰上走更安全。"

"你到冰上去过吗？花花，你可是要冬眠的，不要以为我不知道这回事。"

"你那个水杯大的蜜蜂，我不是也相信了吗？我就是想要冬天去滑冰，这个愿望很不靠谱儿吗？冬天多可爱呀，想让我进入冬眠状态，从今年开始，完全没可能。唏哩呼噜，你愿意相信我吗？"

唏哩呼噜点了点头，但他还是说："我忘了是不是爸爸告诉我的，对于你这种小动物来说，冰的厚度要达到两厘米才安全。这个你知道不知道？"

花花答得毫不含糊："必须达到两点五厘米以上，这是国际标准。"

"花花，我真的愿意相信你。可是你羡慕蜈蚣，这和宝贝有什么关系呢？"

"所以我说的宝贝，其实是一个大算盘。哈哈，想不到吧？只要把那个大算盘扣过来放，就什么都能实现了。在路上用尾巴尖儿点地，我的'算盘汽车'就会飞驰，我准备跑得骨头咔嚓咔嚓响，跑得鳞片冒青烟，我要让一路的警察叔叔都朝我喊'小心，别和飞机追尾'！虽然这些我都还没试过，不过你等着看

ba yí dìng huì shí xiàn de
吧，一定会实现的。"

xī li hū lū lèng zài nàr　　shuō bù chū huà lái　hǎo bàn tiān cái
唏哩呼噜愣在那儿说不出话来，好半天才

kāi kǒu　　　huā hua　nǐ zhēn cōng míng　zán men gān cuì bàn yí gè bǎo
开口："花花，你真聪明。咱们干脆办一个宝

bèi zhǎn lǎn hǎo bù hǎo
贝展览好不好？"

huā hua yòng wěi ba jiānr　　yì pāi zì jǐ de hòu nǎo sháor
花花用尾巴尖儿一拍自己的后脑勺儿，

shuō　　bǎo bèi zhǎn lǎn　hā　zhè zhēn shì gè hǎo zhǔ yi
说："宝贝展览？哈，这真是个好主意！"

dì èr tiān　　xī li hū lū　huā hua yì qǐ qù zhǎo dīng ding hé
第二天，唏哩呼噜、花花一起去找丁丁和

pí pi　xiǎng shāng liang tā men liǎ tóu tiān de zhǔ yi　pí pi qù guo
皮皮，想商量他们俩头天的主意。皮皮去过

bó wù guǎn　kěn dìng zhī dào hěn duō zhè fāng miàn de shì qing　dīng ding
博物馆，肯定知道很多这方面的事情；丁丁

nǎo zi hǎo shǐ　yě xǔ néng chū jǐ gè hǎo diǎn zi
脑子好使，也许能出几个好点子。

tīng shuō zhǔn bèi bàn yí gè bǎo bèi zhǎn lǎn　dīng ding mǎ shàng
听说准备办一个宝贝展览，丁丁马上

21

就称赞道："英雄所见略同。让那些说没意思的人没意思去吧，毕竟不是所有人都关心历史。"

皮皮也说："咱们吉祥镇肯定没有博物馆里那么多宝贝，搞搞小玩意儿没准儿还可以。不过，你说人家能答应给我们吗？"

丁丁说："要不这样，凡是拿出宝贝参加展览的，门票钱都可以减半。"

"还要收门票吗？"嘻哩呼噜吃惊地问。

丁丁也吃了一惊："怎么不收？研究历史和发一笔小财，咱们两头儿都应该有点儿想法。"

“我们不收，你爱参加不参加，因为这可是我们的主意。”花花理直气壮地说。

丁丁有点儿泄气：“那我要减少我的投入了，本来想拿我姥爷的一对核桃加入的，现在我改了，改成糖纸了。”

皮皮直摇头：“糖纸能干吗用？”

“用来包糖啊！很多小孩儿都很喜欢吃糖的。以后我走在路上，小猫、小狗、小松鼠们就会围上来，告诉我他们一直是我的粉丝，我捐给展览馆的糖纸一直感动着他们。”

皮皮边听边“咯咯”地笑起来。

丁丁问：“皮皮，你能拿出来什么宝贝？”

皮皮琢磨了又琢磨：“我还没想好。你们想过在哪里办展览吗？”

唏哩呼噜说：“我觉得咱们应该去镇长家问问。”

3.老库房和宝贝

吉祥镇的镇长羊大白，平时住在镇子中心一片小水塘的边上。那里有几棵从来看不出什么变化的老树，只有叶子年年长了又落。老树繁茂的时候，绿叶好像都画到了天上；每到秋天落叶时，树底下像铺满了刚炸出来的薯片，一地金黄。

镇长的家是一座茅草顶的大房子。让大家意外的是，丁丁和皮皮刚把事情说清楚，镇长羊大白就一口答应下来，大方地给了他们老库房的钥匙。

吉祥镇的居民都知道，老库房里年年举办各种比赛和展览。举例说吧：第一届"看我如何秀一波"老年厨艺大赛，第二届春季烟囱改造比赛，第三届小石块垫床脚大赛以及"玫瑰香"系列炒豆展等。

说起老库房，镇长羊大白有点儿抱怨："脏，里面确实比较脏，不知道他们怎么搞的。那天我去看，满屋蜘蛛网，一地碎纸片，椅子倒在地上也不扶。看到顶棚漏雨我很气愤，看到地毯上被踩碎的浆果我也很气愤。"

丁丁脑筋一转，问道："是不是您准备在这次展览前，叫清洁工来打扫打扫？"

"没有的事。我指望你们呢。"

不管怎么说，老库房的钥匙算是拿到了。

另一边，唏哩呼噜和花花要搜罗的展品可还一件都没有着落呢。

唏哩呼噜对花花说："我觉得咱们吉祥镇宝贝最多的肯定是骆驼大伯。他去过那么多地方，看过的宝贝就更数不清了。咱们去问问骆驼大伯就知道了，最好他能帮上咱们。"

花花一个劲儿地点头，他们就直奔骆驼大伯家了。

骆驼大伯搬来的年头儿不长，住在吉祥

镇最西边，那里再往外就是荒地了。不过大家都认识他，他骨骼宽大，走起路来昂首挺胸，有点儿成熟过头的样子；可是嘴巴总是习惯性地轻轻咀嚼，好像什么都越吃越有味道，像个小孩儿。骆驼大伯喜欢到处走，而且一定披一件满是花纹和流苏的大红披风。他一边咀嚼一边溜达，被居民们称赞"时尚"，或者被看成"阿拉伯风格"的艺术家。

骆驼大伯家四面墙上贴着、挂着、钉着的是各种纪念品。唏哩呼噜他们走进去，发现有的地方东西实在太多，已经碰到了天花板。墙上贴着数不清的旧报纸，连二十年前

的也有。

骆驼大伯听了他们的请求，说："有纪念意义的宝贝？我这儿有的是。"他想了想，眼睛一亮，"没准儿还真有一件东西你们可以带走。"说完他走进一间屋子，很快取来一个木头游泳圈。

这个木头游泳圈虽然有好几处开裂了，但是表面仍然很光滑，木色也很白，好像没怎么用过。

骆驼大伯说："我老了，看到这个游泳圈，我害怕自己会悲伤，所以，送给你们去展览吧。"

xī li hū lū lì kè jiē guò zhè jiàn bǎo bèi duān xiang qǐ lái
唏哩呼噜立刻接过这件宝贝，端详起来：

zhēn de hǎo jīng zhì ya　　tā zàn tàn dào　　luò tuo dà bó　nín cóng
"真的好精致呀！"他赞叹道，"骆驼大伯，您从

nǎr　nòng lái de zhè ge yóu yǒng quān ne
哪儿弄来的这个游泳圈呢？"

骆驼大伯慈祥地眯起眼睛，开始回想起来："小时候我们那里有个小湖泊，水是蓝的。我的伙伴们常常跳到水里去游泳，但是我不敢。我老爸很希望我也去游，他说骆驼就应该哪里都去过，哪里都敢去。

"见我那样怕水，老爸打算送个游泳圈给我。他四处寻找材料，最后，亲手截了一段猴面包树，为我做了个游泳圈，大小刚好能套在脖子上。可要下定决心跳水很困难，直到几个星期后的一天晚上，天热得出奇，我打定主意，明天一定要体验一下全身泡在水里的滋味。哪知道当天夜里刮起了大风，吹得沙

漠四处‘冒烟’，把所有的骆驼都吹散了。直到
第二天中午，我们全家才聚到一起。我再去
看那个湖，没有了，它消失了。

"以后我再也没想过去游泳。"这是骆驼
大伯的结束语。

唏哩呼噜和花花向骆驼大伯道谢。

唏哩呼噜还说："真心邀请您来看展览，
谢谢您的宝贝和故事。"

他们兴奋地抱着游泳圈告别了骆驼大
伯。

第二位募捐者找谁好呢？

最近电视上很红的一位歌手，是一只脸

色枣红，羽毛也以大红色为主，兼有蓝色和绿色的金刚鹦鹉。花花推荐找他试试看。

金刚鹦鹉虽然是明星，但是非常好说话。他听了唏哩呼噜和花花的请求，想了想说："我倒是有个宝贝，就怕你们瞧不上。"

那是什么呢？黑黑的，光滑油亮，像是半个栗子壳。仔细看看，真就是半个栗子壳。

金刚鹦鹉说："我去年来到镇上，唯一想做的事情就是唱歌。可是只要我一开口，隔壁石龙子老太太就找过来说'人家唱歌要钱，你唱歌要命啊'。我不能在家唱，就到大街上唱，可是得到的评价更不好。有一

天，我孤独地飞进树林，感到伤心不已。到了晚上，周围突然传出音乐声，原来是许多小虫凑在一起开音乐会，我也加入进去。他们真好，谁也不说谁唱得差，都是各唱各的，只唱给自己的听众。我的听众只有一条小蚯蚓，他躺在半个栗子壳里。我对着他说'我要用一首自己的新作《让我在这绝壁上犁道槽》致敬一位可爱的听众。这一

次我将火力全开,只为你歌唱'。"

"你不会真那么卖力气吧?!"花花想想
都觉得自己嗓子眼儿疼。

"我竭尽全力了。面对这位专心致志、独
一无二的听众,我的灵魂无法控制地给自己
下达命令。于是我以部落鼓王的节拍,集束炮
弹般吼出歌词。我就这么唱了,并且唱完
了,好不好自己完全不知道。"

"旁边那些唱歌的会怎么想?"花花悄
悄对唏哩呼噜说。

金刚鹦鹉接着说道:"那蚯蚓说'你会有
上电视的机会的,不过以后不用理会听众,

做快乐的自己就行'。这是警句，只有音乐大师才能说出来。为了感谢他，我对他说'您的座椅我想收藏，请不要见怪'。

"我后来真的上了电视。这个幸运的栗子壳就是音乐欣赏之王的座椅。你们拿去吧，把我和他的故事告诉更多的人。"

接下来，在短短的两周时间里，唏哩呼噜和花花造访了不下三十户小镇居民，听到了许多新奇的故事，也得到了很多和故事有关的宝贝。看来，办个小型展览基本没有什么问题了。

4.月牙熊出动

从花间小蜜蜂的嗡嗡声中，从每一棵大树的树梢前掠过的风里，从邻居獾子大婶儿的唠唠叨叨中，凶巴巴的月牙熊也拼拼凑凑地知道了这件事。他坐在树下的大木头房子里想：不知道这帮家伙都收集了什么宝贝，反正现在都堆在老库房里了，等我有空瞧瞧去——还等什么呀？我每天都有空，对，马上就去！

月牙熊匆匆抓了两口干面饼吃下去，正要奔出家门，突然"咣当"一响，木架子

顶上，熊爸爸和熊妈妈的合影晃了两下，
差点儿没掉下来。月牙熊的动作一下子变慢
了，他心想：偷东西和偷嘴到底一样不一样
呢？要是有谁让我去偷东西，被我老爸知道
了，准会打我一个大耳光……要不晚上再
说吧。

胡思乱想了一阵，月牙熊上床睡觉了。

到了半夜，一个大黑影子悄悄溜出了大木
头房子。

月牙熊钻进小路旁边的树丛，借着一
点儿路灯的光芒，"呼哧呼哧"地奔跑起来。

突然一道手电光从小路上扫过来，一

个声音叫道："谁呀？在树丛里跑什么，不怕摔倒吗？"

月牙熊"哎哟"一声站住，定睛往小路上瞧。他眼神不好，半天才看出那家伙是一条比自己块头小很多的狗。月牙熊干脆从树丛后面钻出来，在小路上站定，把腰杆儿挺得直直的，显得非常庞大。

谁知道对方一点儿都不害怕，把那道手电光照在月牙熊胸前的白月牙上，还问他："你在干吗？"

"出门哪。"月牙熊也大着嗓门儿说，不过声音有点儿哆嗦。他猜，对方准是镇上

xīn lái de xún jǐng
新来的巡警。

chū mén nǐ pà shén me ya xún jǐng lè le
"出门你怕什么呀?"巡警乐了。

pà huài rén na yuè yá xióng yìng zhe tóu pí huí dá tā
"怕坏人哪!"月牙熊硬着头皮回答,他
zhēn bú lè yì duì fu jǐng chá jǐng chá zǒng xǐ huan tū rán chū xiàn
真不乐意对付警察,警察总喜欢突然出现。

kàn jiàn jǐng chá jiù bié pà le nǐ zěn me līn zhe gè kōng bù
"看见警察就别怕了。你怎么拎着个空布
dài ne nà shì gè bù kǒu dai ba
袋呢?那是个布口袋吧?"

wǒ zhèng zài duàn liàn yuè yá xióng shuō zhe bǎ bù kǒu dai
"我正在锻炼。"月牙熊说着,把布口袋
tào zài liǎng tiáo tuǐ shang yuán dì bèng le liǎng xià
套在两条腿上,原地蹦了两下。

nán dào xiàn zài dōu liú xíng wǎn shang chū mén huó dòng ma hǎo
"难道现在都流行晚上出门活动吗?好
le nǐ máng ba xún jǐng yòu xiào le
了,你忙吧。"巡警又笑了。

yuè yá xióng bù zhī dào bàn xiǎo shí yǐ qián zhè míng xún jǐng
月牙熊不知道,半小时以前,这名巡警
yě zài lù shang yù dào le xī li hū lū tā men hái yǒu hǎo de dǎ
也在路上遇到了唏哩呼噜,他们还友好地打

44

了招呼。唏哩呼噜这么晚干吗去了呢？

原来唏哩呼噜他们一直在收拾老库房。

打扫的工作早在几天前就开始了，要干的活儿真不少——先是把前几次比赛和展览留下的横幅揭下来，然后把广告牌搬出去，最后把墙壁上的灰尘全部扫干净。花花向蜘蛛们道了歉，请他们搬出了库房。

今天是开展前的最后一天。正在干活儿的丁丁唉声叹气："这么大个库房，空手遛弯儿都嫌累，还叫咱们打扫，上天入地的，都快累成虾了。"

花花也抱怨："我听说苹果结太多了，会

把树累死；真不知道一间大房子垃圾太多了，会不会把打扫的蛇累死。"

皮皮倒不觉得累，他一直爬上爬下地指挥。

"丁丁不许溜号！我看到你躺在展架上了！"皮皮蹲在屋顶的铁架子上大声喊。

丁丁说："有个这么舒服的地方，就是神仙也会偷懒的。唏哩呼噜，你想过吗？辛辛苦苦这么久，展览要是不成功，咱们岂不是白受罪了？"

皮皮从铁架子上倒悬下来说："放心吧，我做事，成功率向来是百分之百。不过呢，我觉得售票的话，可能观众还会更多些。我有

diǎnr　hòu huǐ dāng chū méi zhī chí nǐ
点 儿 后 悔 当 初 没 支 持 你 。"

　　tā men de jiāo tán　　xī li hū lū wán quán méi yǒu tīng jiàn　　tā
　　他 们 的 交 谈 ，唏 哩 呼 噜 完 全 没 有 听 见 。他

xiǎng dào dì èr tiān　　xīn qíng jiù tè bié hǎo　　dà jiā yì qǐ bàn chéng
想 到 第 二 天 ，心 情 就 特 别 好 。大 家 一 起 办 成

了一个真正的展
览，真让人高兴啊！

今天，唏哩呼噜

还带来了自己的展品

——一张全家福。自

从有了举办宝贝展

览这个主意，他就一直琢磨，最后还是觉得镶
在相框里的全家福最合适。那上面一共有
十四只猪，每只都红光满面，喜笑颜开。

说来真是不容易，那么杂乱的老库房，
终于被他们布置成了干净、精致的展厅。

"今天回去大概会睡得很香吧，必须上个

闹钟才行。明天到底怎么样，就等明天再说啦！"丁丁说道。

皮皮约大家晚上一起看电影，预先庆祝一下，可是谁也没力气去了。

这时候，唏哩呼噜他们都还没到家，月牙熊就已经钻进了老库房——新打扫、新布置的宝贝展厅。

这一晚的月亮又大又亮，轻飘飘地在天空浮着。月牙熊忙了一晚上，他都做了什么呢？他胸前的白月牙，有没有变成收割的镰刀呢？

5.宝贝展览开展

开展的第一天，唏哩呼噜一早就来了，他
发现了一件怪事：展品中多了一辆绿色的玩
具铁皮大卡车。这辆卡车可真是够大的，他都
能一屁股坐在车斗里。

花花更是羡慕不已，他说以后一定给自
己也买一辆这样的大卡车，比算盘强太多
啦！

不过仔细看，这辆卡车的车头摔瘪了一
大块，绿漆也掉了。

唏哩呼噜想了半天，也问了花花、丁丁和

皮皮，可他们谁也想不起它是怎么来的了。

这样，展厅里就多了个不带文字说明的宝贝。

八点半，宝贝展览正式开展啦！

唏哩呼噜他们几个没有料到，大家都那么兴奋。他们一直感觉，在这个不大的镇子上，每天的新鲜事太少了。现在呢，每一位熟悉的老邻居、老朋友，突然都变成了有梦想、有故事，可以再被关注、重新引起好奇心的陌生人了。

世界这么多姿多彩，眼睛只盯着自己脚下的路，那就太枯燥了。

每位参展者都会觉得自己被大家关注了，好像有一种神秘的力量让他们沾沾自喜。

可是丁丁的姥姥却不这么想。

她本来拎着缀满了白色珍珠的小提包，喜滋滋地来看外孙子办的展览，一看吓一跳，心想：这都是什么破烂儿呀！这些老街坊太可笑了，幸亏我老太太没跟着起哄。

等她瞧见摆在角落里的老猪家全家福，

简直笑得直不起腰来。尤其那个猪八姐，嘴还是歪的，一家子都那么红光满面。

别人看了照片也笑，可谁也没狐狸姥姥笑得这么开心。

参观的居民络绎不绝——有意思的东西太多了，谁都好奇它们背后的故事呢！

有个巨大的哭声来得太突然，如同海浪一般扑进所有参观者的耳朵。

展厅中间，月牙熊坐在地上，抱着铁皮大卡车哭成了泪人儿："我老爸不在了。我小名叫月亮，从小是被他当月亮在掌心里捧着长大的……"

月牙熊那么大的块头，坐在那里"呜哇呜哇"哭个不休，搞得大家不知所措。只听他又说："等我长大了，他开始骂我笨蛋。他最常说的就是'不是所有没吃过的都要吃一遍，没钱就别眼馋'。你们没人安慰我吗？"

花花对唏哩呼噜说："真想不到，铁皮大卡车是月牙熊的宝贝，感觉好可惜呀。你去劝劝吧，这家伙都成展览的焦点了。"

唏哩呼噜点点头。他又想了想，鼓足勇气走到月牙熊跟前，很认真地说："我这么不好意思说别人的人，也忍不住想说……你以

前是有点儿差劲，所以这回也没请你，想不到你这么热情，我们非常感谢。你以后再害羞一点儿就好了。一、二、三，不要哭了。"

月牙熊从哭腔里哼哼道："开头重新说。"

镇长羊大白走过来说道："你老爸也许没真觉得你笨……就算是真的吧，你努力了就好。我这些话算得上是安慰吗？"

"呜呜呜，我老爸走的那天还说'没了你爹，你就是个废物了'。我还跟他吵嘴，把这辆玩具卡车也摔了，我真不懂事。"

鹿妈妈急匆匆地挤过来说："废物就废

物，有些愚蠢无知的人还不如你呢……我当然

是想劝你不要自暴自弃，因为你并非最差劲

的那个。"

　　"眼下不是该绝望的时候，相反要把你老

爸的话当成力量，一生中说不定还有更

糟糕的事情等在前面……抱歉，我的话似乎

也不适合这时候说。不过你老爸究竟怎么了？"

骆驼大伯最后替唏哩呼噜他们问了个问题。

　　月牙熊抱着大脑袋抽泣道："他出车祸

了。"

　　唏哩呼噜大吃一惊，他从来不知道这件

事。他后悔刚才说得太重了。

58

好几位年轻的鸭妈妈都同情起月牙熊来："真可怜哪，没有爸爸了。"她们中还有一两位邀请月牙熊中午去自己家里吃饭。

月牙熊终于抬起头来，抹了下眼睛，看了大家一会儿说："我老爸以前是开大卡车的，不小心撞死了一只鸟。我老爸开车就是踩油门比较狠，其他都好。"

大家几乎一齐问："然后呢？"

"然后他就再也没有开过卡车了。"

"他是不是现在坐牢了？"

月牙熊深深叹了口气："他走掉了。我老妈去找他，可过了好多年了，他们一个都没回来。不说了，说得我喘不过气来。真心谢谢你们大家安慰我。"

镇长羊大白决定把展览延长三个月。

谁家觉得有什么东西够资格了，尽管送到展厅来，不过要写清楚宝贝背后的故事，好让大家看得明明白白。

唏哩呼噜和好朋友们正在筹办宝贝展览，他们从邻居们的家里搜罗来了很多好东西，结果这些奇形怪状的东西混杂在一起，把唏哩呼噜彻底弄蒙了。聪明的小朋友，你能根据这些物品的形状找出相对应的物品吗？

破碎的地毯

正在布置展厅的唏哩呼噜和伙伴们忽然发现他们精心挑选的地毯坏掉了。他们不仅需要把地毯修补好,还要还原上面的花纹图案。热心的你能帮帮他们吗?

(答案请见第98页)

小猪唏哩呼噜和摇椅

唏哩呼噜觉得，凡是老猪奶奶家的东西，每一件都沾了点儿"宝"气。

他最喜欢摆在院子当中的那把大摇椅。摇椅不知道是用什么藤编的，比刷了一层蜜还要亮。唏哩呼噜每次坐上去，老猪奶奶都会给他倒上一杯果汁。摇椅的旁边有一棵不算很高，但很粗壮的大石榴树，一到夏天，像火苗一样的石榴花开得满树都是。

这会儿又是夏天了。

老猪奶奶要出门十天，照顾这个院子的任务就交给了唏哩呼噜。

唏哩呼噜先给石榴树浇了水，又去墙根给爬藤浇水。这是阳光明媚、暖风和畅的一个上午。

"嘿，看着点儿。你干吗呢？"一只壁虎从墙根处匆匆爬上藤叶。

唏哩呼噜说："对不起，壁虎先生，打扰你了。老猪奶奶出门了，今天我来看家。"

壁虎说："你自己看家呀？真能干。要不要让我做你的帮手？"

唏哩呼噜说：“行啊！可你想做什么呢？”

壁虎张开透明的手指头，摸摸脑袋说：

“什么都好，只要让我跟着你就行。我没事可

以多和你聊聊天儿。我就叫你'师傅'吧。”

接下来，唏哩呼噜走到哪里，壁虎就跟到

哪里。他们边干边玩，不知不觉就到了中午。

唏哩呼噜在摇椅上坐了下来，把饭盒摆

到茶桌上。他拿出妈妈给他准备的桃酥，掰

下一小块递给壁虎。壁虎很疑惑地看着桃酥问

他：“这东西就直接这样生吃吗？”

唏哩呼噜回答：“当然啦！这是我妈妈亲

手做的。”他一边张开嘴巴“嘎吱嘎吱”嚼着，

一边看壁虎小心翼翼的样子，忍不住笑起来。

嘻哩呼噜坐在摇椅上，美滋滋地摇起来，前一下，后一下，越摇越起劲。他觉得摇椅不仅是摇椅，还像是一条大船。谁知道摇着摇着，"哗啦"一声响，他觉得身子往摇椅里一陷，悬在了半空中。他赶紧从摇椅上爬起来。糟糕糟糕，老猪奶奶的宝贝摇椅被他坐出个大洞！这么大一把摇椅，怎么这样不结实呢？

壁虎吓了一跳，赶紧爬上一旁的石榴树。他从树叶间探出脑袋，瞪圆了眼睛朝下说："嘻哩呼噜是师傅，师傅师傅想舒服。摇摇椅子两头翘，中间有个大窟窿。"

xī li hū lū méi kēng shēng
唏哩呼噜没吭声。

bì hǔ yòu shuō　shī fu yǎn fā lán　tā zài xiǎng zǎ bàn　dì
壁虎又说："师傅眼发蓝,他在想咋办。第

yī bù ái mà　dì èr bù huā qián
一不挨骂,第二不花钱。"

xī li hū lū zhè shí hou hái méi yǒu xiǎng chū shén me hǎo zhǔ
唏哩呼噜这时候还没有想出什么好主

yi　tā mó mó cèng cèng de wǎng yuàn zi wài miàn zǒu　zǒu le yí
意,他磨磨蹭蹭地往院子外面走。走了一

duàn　xī li hū lū tū rán zhuǎn guò shēn dīng zhǔ dào　bì hǔ xiān
段,唏哩呼噜突然转过身叮嘱道："壁虎先

sheng　qǐng bāng wǒ kān hǎo jiā
生,请帮我看好家。"

bì hǔ　chī liū　cóng shí liu shù shang pá xià lái　shī fu
壁虎"哧溜"从石榴树上爬下来："师傅

nǐ fàng xīn　wǒ zài zhè lǐ děng　shǒu zhù pò yáo yǐ　bǎo zhèng bù
你放心,我在这里等。守住破摇椅,保证不

zhuǎn shēn
转身。"

xī li hū lū kàn zhe bì hǔ pá dào yáo yǐ fú shǒu shang　zhè cái
唏哩呼噜看着壁虎爬到摇椅扶手上,这才

zhuǎn guò shēn　kuài bù zǒu chū le yuàn zi
转过身,快步走出了院子。

"合家獾"家具店分上下两层楼,里面各种椅子都有,甚至还有牙医专用的椅子。

唏哩呼噜看中了一把和老猪奶奶家的摇椅很像的椅子,再看椅子背上拴着的白卡片价目签:一百五十元。

唏哩呼噜摸摸自己的口袋,里面是他专门回家取出来的零用钱,钞票和硬币都算上,也只有三十五元八角五分钱。

獾子店员挺热情,眨巴着两只小黑眼睛,一个劲儿地给唏哩呼噜介绍,说这摇椅有多么漂亮,这摇椅的用料有多么好,这摇椅还

shì lǎo shī fu qīn shǒu biān de
是老师傅亲手编的……

jué duì lǎo téng lǎo gōng yì　　bó wù guǎn zhuān jiā kàn hòu dōu
"绝对老藤老工艺。博物馆专家看后都

chēng zàn　　　shuō zhè yīng gāi shì liǎng bǎi nián qián chuán xià de shǒu
称赞——说这应该是两百年前传下的手

yì　cóng téng xí wén lù de biān zhī　dào kào bèi fú　zì de diāo
艺。从藤席纹路的编织,到靠背'福'字的雕

fǎ　yuǎn fēi pǔ tōng jiā jù kě bǐ　shī fu tǎn yán　zhè dí què fēi
法,远非普通家具可比。师傅坦言,这的确非

cháng nán zuò
常难做。"

xī li hū lū wèn　　　nǐ men de shī fu shì nǎ wèi ya
唏哩呼噜问:"你们的师傅是哪位呀?"

cóng guì tái hòu miàn bèi bù lián zi zhē zhe de fáng jiān li zǒu chū
从柜台后面被布帘子遮着的房间里走出

lái yì zhī huān zi　tā jì zhe lán wéi qún　shǒu li ná zhe yì bǎ jiǎo
来一只獾子,他系着蓝围裙,手里拿着一把角

chǐ　ěr duo shang bié zhe yì zhī yān
尺,耳朵上别着一支烟。

lǎo huān shī fu dài zhe yǎn jìng　biǎo qíng yǒu xiē yán sù de dèng
老獾师傅戴着眼镜,表情有些严肃地瞪

zhe xī li hū lū wèn　　zhǎo wǒ
着唏哩呼噜问:"找我?"

嘻哩呼噜很有礼貌地鞠了一躬，说起自己坐坏老猪奶奶摇椅的事。他想请老獾师傅上门帮忙修理修理。

"上门费五十元，修理费一百元，一共一百五十元。"老獾师傅说。

又是一百五十元，嘻哩呼噜还是拿不出来呀。

"谁是您的徒弟呢？我请他去行不行？"嘻哩呼噜灵机一动，赶忙说道。

"我也想让我的徒弟去，不然老是亲自上门，也体现不出我是做师傅的。可我就一个徒弟，还是个拿不出手的。"

"那我拜您做师傅吧？我只要学会修补椅子面就行。"

"那也行，每个月一百五十元，六个月包会。我很严厉的，你可不要怕。"

"可我身上没有钱……"嘻哩呼噜嘟哝着。

"没有学费怎么拜师？拜拜还差不多。拜拜！"老獾师傅说完，转身进屋了。

嘻哩呼噜只好回家去找猪八姐。

猪八姐像是正在为什么事发愁似的，自己在屋子里走来走去。

"八姐，你能不能借我点儿钱？"

"要多少？"猪八姐表情发愣。

"一百五十元。"

"一百五十元？全家没准儿都凑不到一百五十元。不过，也许能有。唏哩呼噜，快帮我个忙，拿笔和纸来。"

唏哩呼噜动作飞快地准备好了纸笔。

"我唱首歌，你记下来。要是我参加歌词创作比赛赢了，三百元都能有。要快要快，灵感马上就溜走了。"

猪八姐站在屋子中央，满脸通红，对着白墙轻轻说道："我为大家献唱一首《美丽，请跟我摇摆摇摆》。"然后她瞥了唏哩呼噜

yì yǎn，tí xǐng tā gǎn jǐn jì lù，jiē zhe jiù kāi kǒu chàng le qǐ
一眼，提醒他赶紧记录，接着就开口唱了起
lái
来。

zhū bā jiě de gē shēng piāo piāo piāo
猪八姐的歌声飘飘飘。

xī li hū lū shǒu li de bǐ biāo biāo biāo
唏哩呼噜手里的笔飙飙飙。

chàng le liǎng duàn zhū bā jiě tíng xià lái shuō bù xíng wǒ
唱了两段，猪八姐停下来说："不行，我
biān bú xià qù le xiān ràng wǒ kàn kàn qián miàn de
编不下去了。先让我看看前面的。"

xī li hū lū gǎn
唏哩呼噜赶

jǐn bǎ zì jǐ jì xià
紧把自己记下

lái de gē cí dì guò
来的歌词递过

qù，shēng pà zhū bā jiě
去，生怕猪八姐

de líng gǎn sōu de yí
的灵感"嗖"的一

xià quán pǎo guāng le
下全跑光了。

那纸上写着：

美丽，请跟我摇摆摇摆

你的童年陪伴你的水果和太昂（阳）

蓝天还有古诗皮袄如溜冰一昂（样）

雨是一头（首）湿（诗）

正在飞快地滑行

吹干自己找人问路已经来不及

猪八姐皱起眉头："你这都记的什么东

西？！唏哩呼噜，你不用管这事了，去玩你的

吧。"

xī li hū lū xiǎo shēng wèn　　yì bǎi wǔ shí yuán qián hái yǒu
唏哩呼噜小声问："一百五十元钱还有

ma
吗？"

zhū bā jiě zhǎ zhǎ yǎn　dǒu dǒu shǒu li de zhǐ　zhè dōng xi
猪八姐眨眨眼，抖抖手里的纸："这东西

yào néng ná yī děng jiǎng　sān gè yuè hòu wǒ gěi nǐ yì bǎi wǔ shí
要能拿一等奖，三个月后我给你一百五十

yuán
元。"

xī li hū lū dà chī yì jīng　sān gè yuè　nǐ méi hé wǒ shuō
唏哩呼噜大吃一惊："三个月？你没和我说

míng bai ya　lǎo zhū nǎi nai zài guò shí tiān jiù huí lái le
明白呀，老猪奶奶再过十天就回来了。"

nǐ xiā xiě yí qì　bǎ wǒ de líng gǎn dōu gěi huǐ la　wǒ gāi
"你瞎写一气，把我的灵感都给毁啦！我该

zhǎo nǐ yào qián cái duì ne
找你要钱才对呢！"

xī li hū lū shuō　bā jiě　zhēn duì bu qǐ　kě shì wǒ tè
唏哩呼噜说："八姐，真对不起。可是我特

bié xiǎng zhī dào nǐ de líng gǎn shì zěn me lái de
别想知道你的灵感是怎么来的。"

zhū bā jiě shuō　wǒ niàn zhòu yǔ niàn chū lái de　　qì
猪八姐说："我念咒语念出来的——'汽

78

水汽水咣当咣当’，念完灵感就来了。"

唏哩呼噜还想再仔细问问，可是猪八姐

的手摆得飞快，唏哩呼噜只好走掉了。

唏哩呼噜只能又回到老猪奶奶家。看看

墙上的大挂钟，他离开老猪奶奶家已经有

五个多小时了，这么长的时间里，他一分钱也

没凑出来。他不想找爸爸妈妈要，也不愿意

去给狐狸掌柜或者猩猩经理打工。他想：他

们大概也没什么正经工作。可要不去给他们

打工，又上哪儿凑钱去呢？

"师傅回来啦！"壁虎倒是说话算话，还一

dòng bú dòng de pā zài yáo yǐ de fú shǒu shang　kàn jiàn xī li hū lū
动 不 动 地 趴 在 摇 椅 的 扶 手 上 。看 见 唏 哩 呼 噜

huí lái　tā gāo xìng de jiào dào
回 来 ,他 高 兴 地 叫 道 。

　　xī li hū lū diǎn diǎn tóu　mǎ shàng yòu yáo yáo tóu　　wǒ hái
唏 哩 呼 噜 点 点 头 ,马 上 又 摇 摇 头 :"我 还

méi yǒu xiǎng dào hǎo bàn fǎ　yào jí sǐ le
没 有 想 到 好 办 法 ,要 急 死 了 。"

　　bì hǔ shuō　　kěn dìng hái yǒu bié de bàn fǎ　nǐ yīng gāi duō
壁 虎 说 :"肯 定 还 有 别 的 办 法 。你 应 该 多

shì jǐ gè　bú duì　bú shì shì　shì nǔ lì qù zuò
试 几 个 ,不 对 ,不 是 试 ,是 努 力 去 做 。"

　　xī li hū lū diǎn diǎn tóu
唏 哩 呼 噜 点 点 头 。

　　cóng lǎo zhū nǎi nai jiā chū lái　tiān sè yǒu diǎnr　àn le　xī
从 老 猪 奶 奶 家 出 来 ,天 色 有 点 儿 暗 了 ,唏

li hū lū zài yí cì zǒu dào jiā jù diàn qián　tā jué de zǒng gāi zài
哩 呼 噜 再 一 次 走 到 家 具 店 前 。他 觉 得 总 该 再

zhēng qǔ yí cì　yě xǔ hái yǒu xī wàng　dàn shì jiū jìng shì shén me
争 取 一 次 ,也 许 还 有 希 望 。但 是 究 竟 是 什 么

yàng de xī wàng　tā wán quán bù zhī dào
样 的 希 望 ,他 完 全 不 知 道 。

　　xī li hū lū zhèng zài zuó mo jìn qù hòu gāi shuō shén me　tū
唏 哩 呼 噜 正 在 琢 磨 进 去 后 该 说 什 么 ,突

然从敞开的家具店大门里跑出来一只半大的獾子，头上竖着一撮毛。他跑了几步，气哼哼地转过身说："抬木头就找我，正经学手艺就瞒着我，有坏事就求我，好事都没我的份儿。"

半大的獾子身后追出来系着蓝围裙的老獾师傅，看上去，他比半大的獾子还要生气："我的手艺多着呢，你想学就得谦虚。嫌这

个轻那个重的，你当是挑西瓜呢？"

三四个店员哄着搀着，总算把老獾师傅劝回了店里。半大的獾子这时候早不知道跑到哪里去了。老獾师傅还看了唏哩呼噜一眼，唏哩呼噜赶紧把胸膛挺直。可惜人家根本没搭理他，进去后就不再出来了。唏哩呼噜想：他生那么大气，今天还是别去求他了。

这下子，唏哩呼噜真是没了主意，只好垂头丧气地往回走。

唏哩呼噜走着走着，没想到在街拐角处撞上了半大的獾子。他一副无所事事的样子，背靠在墙上，吹着"噗噗"响的口哨儿。

唏哩呼噜站着不动。半大的獾子笑着问他："你找我？"

唏哩呼噜觉得半大的獾子的眼神像是在说："你快问问我，看我能有什么好办法。"

于是他不好意思地说："我遇到了一点儿麻烦。"

听了唏哩呼噜的故事，半大的獾子马上说："行，明天早上八点半，咱们还在这儿见。我不收你钱。记着，我叫初初。"

初初约唏哩呼噜再见的十四个小时以后，壁虎看见他们俩一起走进了老猪奶奶家的院子。他赶紧跟了上来，爬到唏哩呼噜耳朵边问："师傅，这个脑袋上竖着毛的家伙是谁呀？"

唏哩呼噜挺骄傲地说："他叫初初，是来帮我修摇椅的。他爸爸是最好的藤匠，要是还有第二个好的，那就是初初。"

初初从自己家里带来了原料和工具，他看着摇椅上的大洞，显得胸有成竹。

初初开始修理了，动作非常熟练。他先把整个座面的旧藤丝都清理干净，然后取出带来的新藤丝，展示了一番让唏哩呼噜和壁虎眼花缭乱的交叉编织手法。只见一根根藤丝像一道道光线，一会儿弯曲变成兔子耳朵，一会儿交叉成渔网。不到两个小时，全

新的座面就在初初巧妙的编织下诞生了。

"现在好了吗？"唏哩呼噜兴奋地问。

"好要留到最后才说。你先坐坐试试。"初初站直身体，得意的微笑挂在脸上。

唏哩呼噜开始不敢坐，在初初和壁虎的劝说下，才极小心地坐了上去。

没问题，非常舒适。

可是等唏哩呼噜站起来，初初不说话了——摇椅的中心凹进去一大块。

"是不是我太沉了呀？"唏哩呼噜又吃惊又惭愧。

初初摇摇头，揪着脑袋上那撮毛想了

想，最后许诺："明天还是老地方见，我叫我爸爸来。"

唏哩呼噜说："我请过你爸爸的，他要收好多钱。"

初初说："我会告诉他，我给人家修坏了东西。他得负责。"

第二天上午，唏哩呼噜、初初和老獾师傅一起来到老猪奶奶家。

老獾师傅不喝水，也不看四周，直接坐在草地上开始干活儿。

他几乎用了和初初一样长的时间，手法和初初的也没什么两样。不过中间他讲了一句话："做手艺活儿，要做到就算老祖宗站在你面前，你都敢说自己做得好。初初，你怎么想？"

初初说："我想跑。您说得太可怕了。老祖宗我从来没见过，忽然来盯着我，我哪儿待得住哇？！"

唏哩呼噜和壁虎听了初初的话，都忍不住笑了。唏哩呼噜赶紧捂住嘴，这时候笑可不合适。

好在老獾师傅专心致志地修摇椅，没有在意。

修补好的摇椅非常漂亮，摆在小草坪

上像一件超大的铜管乐器。初初连连称赞，说这是他见过的最神气的摇椅。

嗞哩呼噜坐上去试，没问题；下来再看，也没发现一点儿毛病。这下他可放心了。

初初也坐了上去。他在摇椅上晃了两下，歪着头对老獾师傅说："这手艺，我突然又想学了。爸爸，这次我是认真的，回去后，我保证全力以赴钻研手艺。瞧这摇椅，不光好看，而且超级结实。"

老獾师傅说："嗯，反正比你的漂亮话结实多了。"

他们父子俩收拾好东西，一起出门走了。

xī li hū lū yí lù dào xiè hé bì hǔ yì zhí bǎ tā men sòng
唏哩呼噜一路道谢，和壁虎一直把他们 送

dào dà jiē shang
到大街上。

chóng xīn huí dào yuàn zi li bì hǔ xué zhe xī li hū lū gāng
重 新 回到院子里，壁虎学着唏哩呼噜刚

cái de yǔ qì shuō xiè xie xiè xie chū chu hé lǎo huān shī fu xiè
才的语气说："谢谢，谢谢初初和老獾师傅。谢

xie nǐ men de hǎo xīn bāng le wǒ de dà máng wǒ fēi cháng gāo
谢你们的好心，帮了我的大忙，我非常高

xìng xiè xie xiè xie
兴。谢谢，谢谢！"

wǎn shang huí jiā xī li hū lū gào su zhū bā jiě zhè cì
晚 上 回 家，唏哩呼噜告诉猪八姐："这次

wǒ zhī dào le xiǎng xué shén me dōu děi rèn zhēn xū xīn zuì hǎo hái
我知道了，想学什么都得认真、虚心，最好还

yào zuò chū chéng nuò bā jiě wǒ bǎo zhèng yǐ hòu yào rèn zhēn dú
要做出 承 诺。八姐，我保证以后要认真读

shū shí zì děng nǐ de líng gǎn zài xiàng qì shuǐ nà yàng gū dū gū
书、识字，等你的灵感再像汽水那样咕嘟咕

dū de mào chū lái wǒ yí dìng gěi nǐ jì hǎo bú zài gěi dān wu
嘟地冒出来，我一定给你记好，不再给耽误

le
了。"

其实，唏哩呼噜还明白了一个道理，但他没说出来。那就是——摇椅就是摇椅，不是大船，用力摇是会摇坏的。

猪八姐听了唏哩呼噜的话，没说别的，又咿哩哇啦地唱起她的歌来。直到唏哩呼噜快睡觉了，还能听到猪八姐在反反复复地念着她的灵感咒语："汽水汽水咣当咣当，汽水汽水咣当咣当……"

折腾了那么久的唏哩呼噜，在被窝儿里眯缝着眼睛想：看来要专心做一件事，可真不容易呀！

不过，一想到老猪奶奶回来后，就会看到

yáo yǐ biàn de gèng xīn gèng piào liang le shí liu shù hé pá téng dōu
摇椅变得更新、更漂亮了，石榴树和爬藤都

hē shuǐ hē de bǎo bǎo de yuàn zi li hái duō le yì zhī hěn huì liáo
喝水喝得饱饱的，院子里还多了一只很会聊

tiānr de bì hǔ xī li hū lū yòu rěn bú zhù zài shuì mèng yōng bào
天儿的壁虎，唏哩呼噜又忍不住在睡梦拥抱

tā zhī qián lù chū le yí gè ān xīn de wēi xiào
他之前，露出了一个安心的微笑。

　　唏哩呼噜来找老獾师傅修摇椅,碰到了老獾师傅的儿子初初。初初表示可以帮助唏哩呼噜,但前提是唏哩呼噜要陪他玩迷宫游戏,并且要快速找到他。你快来帮帮唏哩呼噜吧!

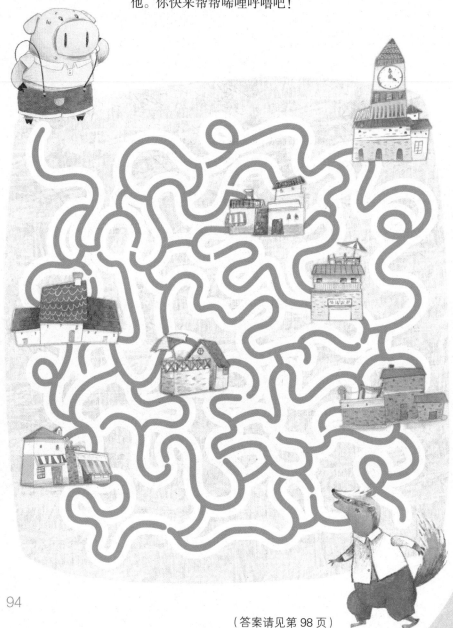

(答案请见第98页)

　　唏哩呼噜在"合家獾"家具店寻找摇椅。没想到,这里有太多把相似的椅子了,唏哩呼噜怎么也看不出它们的区别。下面两幅图中共有 10 处不同,你也一起来找找看吧!

（答案请见第 98 页）

小猪唏哩呼噜的故事地图

"亲子阅读时光"到啦！

《小猪唏哩呼噜的宝贝》到底是怎样一个故事呢？你对哪些情节印象深刻呢？

家长可以陪孩子一起走一走"故事地图"。在这个过程中，家长要考一考小朋友，看看他还记不记得这些故事经过和小细节。准备好了吗？出发！

故事人物：小猪唏哩呼噜、小蛇花花、小猴子皮皮、小狐狸丁丁、镇长羊大白、骆驼大伯、月牙熊

家长可提问：在这个故事中，最先提议办宝贝展览的是谁呢？

起因

皮皮和爸爸去博物馆参观，兴奋的皮皮回来后和唏哩呼噜、花花、丁丁分享感受。唏哩呼噜和花花都觉得博物馆没什么了不起。唏哩呼噜更是冒出了一个新奇的想法。

家长可提问：小蛇花花的宝贝究竟是什么呢？

过程

唏哩呼噜和朋友们说了自己的想法，大家一致赞成，然而在哪儿办展览成了困难。他们去向镇长羊大白求助，出乎意料的是，场地的问题很快就解决了。

家长可提问：镇长同意借给他们什么地方办宝贝展览？

结局

宝贝展览开展了，来参观的小镇居民络绎不绝，大家都被各种有意思的东西和它们背后的故事吸引着、感动着。镇长羊大白决定把展览延长三个月。

家长可提问：唏哩呼噜带了什么宝贝来参展呢？

月牙熊也得知了要办宝贝展览的消息。动了歪心思的他一想到老库房里堆满了各种各样的宝贝，就有点儿坐不住了。趁着天黑，他拎上一个布口袋就出门了。

家长可提问：月牙熊最后成功了吗？

唏哩呼噜和花花去搜罗展品。短短两周时间，他们造访了不下三十户居民，得到了很多宝贝，也听到了很多新奇的故事，办个小型展览不成问题了。

家长可提问：金刚鹦鹉给了唏哩呼噜和花花什么宝贝呢？

97

游戏答案

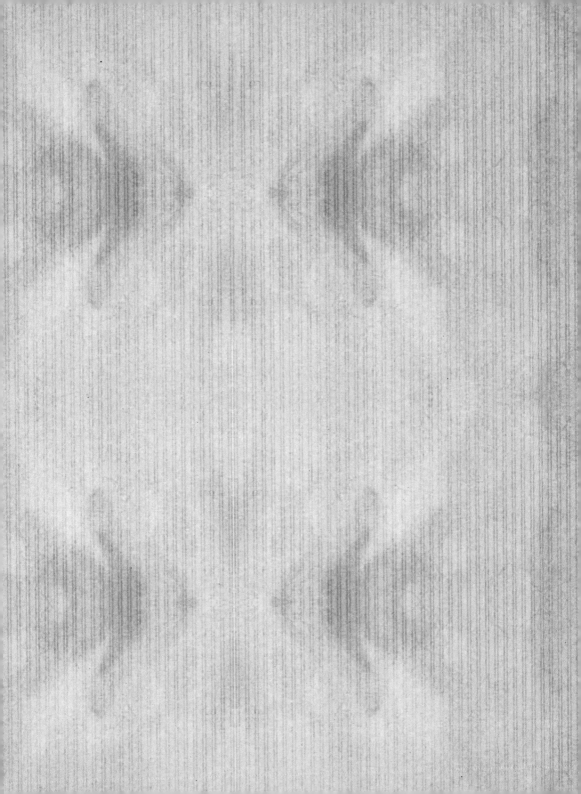